当当网终身五星级童书

★★★★★

我创造了名画

据［法］克利斯提昂·约里波瓦同名绘本动画片改编
郑迪蔚／编译

不一样的卡梅拉动漫绘本

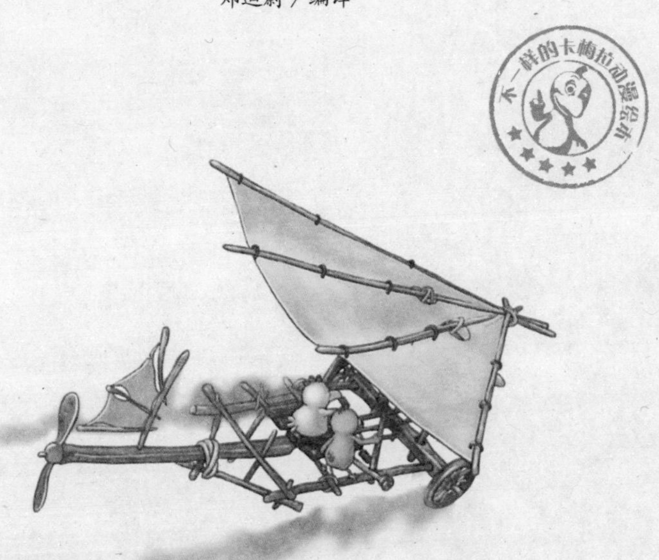

二十一世纪出版社
21st Century Publishing House
全国百佳出版社

下蛋，下蛋，总是下蛋！

生活中肯定有比下蛋更好玩的事情！

我帮助画家找到了灵感……

现在是午休时间，小胖墩可不愿意在窝里睡觉，因为昨天他和大嗓门打赌，如果他敢爬上屋顶，这一个月的零食小虫子都归他。

“别爬了，你上不去的。”痘痘妹有些担心。

“太危险了，你脑子进水了吧。”小刺头劝他下来。

但零食对小胖墩的诱惑太大了，他艰难地一步步朝屋顶上爬：“我马上就到顶了，学着点！没有最高只有更高！你们现在瞅着我犯晕了吧！”

就在这时，小胖墩感到背脊一阵发凉。哇！不好！一个巨大的怪物正朝他飞过来……

“救命呀！”小胖墩使劲抓住屋顶的瓦片，但是风实在太大，把他卷到了空中。

小胖墩的脚正好卡在飞行器下面，他悬在半空，惊恐地看着草坪上变得越来越小的伙伴们，害怕极了。

“看哪！小胖……胖……墩被掳走了！怪物会不会把他生吞掉？”痘痘妹哭了起来。

“外星鸡入侵啦！他们也会把……把我们都抓走的！”大嗓门吓得直哆嗦。

小胖墩猛地想起爷爷说过，倒霉的时候，先要想想自己以前都做过什么。

“我再也不偷小麦了，我再也不拽小凯丽的翅膀了，我再也不说爷爷啰唆了，我保证！上帝！救救我吧！”

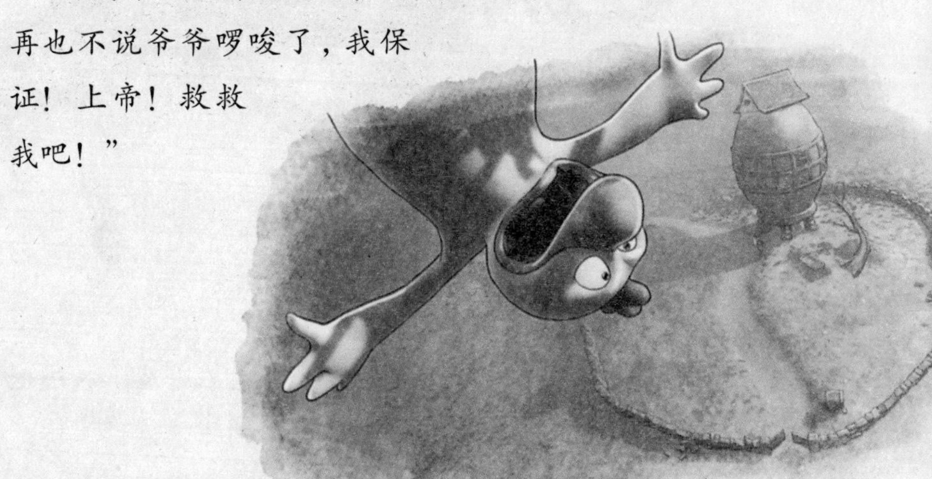

大嗓门、小刺头和痘痘妹看到小胖墩被怪物带着越飞越高，吓得捂住眼睛。

“他不会摔下来吧？”

“我们为他祈祷吧！”

飞行器上的驾驶员听到小胖墩的忏悔，笑起来：

“安静点，亲爱的小胖子，我可不是故意把你带上来的。”

小胖墩没想到有个人突然出现在眼前，立刻不再大喊大叫了。

“别害怕，小胖子，我又不会吃掉你。不过，还真别说，你看起来肉蛮香的。”驾驶员冲着小胖墩挤挤眼，“抓紧了，我要准备下降了。”

飞行器平稳地降落在河边的草地上。

小胖墩从上面跳下来，慌不择路跑了出去。

“我一点都不好吃，

我再也不爬屋顶了……”

“别跑！我跟你开玩笑呢，小胖鸡。”

驾驶员从飞行器里走下来，捶了捶腰。“哦，妈妈咪呀，我老了，跑不动啦，不过我的扑翼飞机飞得不错！好了，玩够啦，该开始工作了！”

“出事啦！小胖墩被外星鸡掳走了！”贝里奥气喘吁吁地找到好朋友卡梅利多和卡门。

“外星鸡？亏你想得出来！还落汤鸡呢。”卡梅利多根本不信。

“不是外星鸡，可能是双头鹰，或者巨型蝙蝠！或者喀尔巴食人族……”贝里奥越想越害怕。

“我们得赶快找到小胖墩！没时间耽误！”卡门拉着哥哥朝森林里跑去。

“等等我呀！不要丢下我一个人！”贝里奥在后面大喊，“他们越跑越远，追不上怎么办呀？”

“你想赶上他们吗？简单！帮我一下，伙计们！”大嗓门带着小刺头、痘痘妹把鸬鹚佩罗的木桶滚到了土路上。

“卡梅利多是从这个方向走的，你现在坐到木桶里面。”

贝里奥不知道大嗓门搞什么花样，乖乖地坐了进去。

“放心，我会给佩罗一个很棒的解释，他会理解的。现在，飞吧，宝贝！”大嗓门和小刺头使劲一推木桶。

“你肯定？但佩罗回家后，会不会说我们动了他的木桶？”贝里奥有些担心。

刺猬尼克和皮克坐在墙头看热闹：“哈哈，这速度真赶上 F1 赛车了！”

卡门和卡梅利多全然不知危险马上就要降临。

“小胖墩会被带到哪儿去呢？”卡门很着急。

“我们去河边看看吧。”

三只坏田鼠没想到午休的时候也会有小鸡跑出来，对他们来说可是天赐良机。

“瞧瞧谁来了！还一下来俩！”田鼠普老大笑道。

“正好，我们分了，一人一只！”田鼠细尾巴尖声尖气地附和道。

“老大，我们太有运气了，一只给你，一只给我，呵呵，是吧？”田鼠细尾巴在树枝上掰着手指数数。

“听好了，等他们一到树下我们就跳。”普老大命令道。

“准备好了！”田鼠普老大眼看着卡门和卡梅利多从树下跑过，赶紧率先跳了下去，细尾巴也跟着跳下去。

“我的腰！”

“哎哟！头儿，我们好像跳得不是时候。”田鼠细尾巴趴在普老大的身上。

“你压到我的腰了！”普老大咬牙切齿地说。

“讨厌，又是这帮可恶的坏田鼠！”卡门回头才发现躲过了普老大的袭击，和卡梅利多继续朝河边跑去。

田鼠克拉拉站在树枝上没听见同伙的对话：“好了吗？我跳不跳，头儿？我跳吧！”说完，克拉拉跳了下去。

“哎哟！我的腰！”田鼠细尾巴尖叫道。

“这帮坏家伙还想在半路上偷袭我们，这次摔得不轻。”

卡门和卡梅利多一边说一边跑，没注意到前面的画架。

“妈妈咪呀，今天是什么日子？净碰到小鸡！”

“对不起，先生，我们在找一个朋友……”

“哦，是不是一只小胖鸡？他害怕被我吃掉就逃跑了。请允许我自我介绍：列奥纳多·达·芬奇，发明家、画家！”

卡门和卡梅利多知道小胖墩没遇到危险，放心多了。

达·芬奇接着说：“我应法国国王的要求，要画一幅油画，在王后的加冕典礼上用。”达·芬奇重新找了块画布，若有所思地盯着看了许久，“我需要安安静静地整理下思路，寻找灵感，但是一直都没想好画什么。”

贝里奥被大嗓门的恶作剧整惨了，木桶顺着土路急速滚下去，根本停不住。

“救命呀！木桶要滚到什么时候啊！我的羊毛都压瘪了。”

三只坏田鼠重新爬到树上。

“头儿，快看，又有美味送上门了。”

“羊肉！饱餐的时候到了！”田鼠克拉拉瞪大了眼睛舔着嘴唇。

“这次可不能再失手了！要早一点跳下去，预备跳！”田鼠普老大带着伙伴挡在路中央。

“这回我可是一起跳的，对吧，头儿？”克拉拉得意地笑着说。

没想到的是木桶的速度和冲击力实在太快，直接从他们的身上碾了过去。

“哎哟，头儿，我们被活埋了！”

飞奔而来的木桶把达·芬奇撞倒在地。

“妈妈咪呀，我今天的运气真好，先是我的‘列奥扑翼’飞机栽了小胖鸡，接着小粉鸡又撞破了我的画，现在又来了头小羊！”

达·芬奇苦笑着揉了揉头。

他们的对话被一直躲在灌木丛中的小胖墩听见了。

“原来那是扑翼飞机，看上去好像并不复杂，踩踩脚踏板……我要飞回去显摆一下！哈哈！”

小胖墩悄悄爬上飞机。

“显然，你们都很喜欢我的画！”

达·芬奇把撞坏的画布重新钉好。

“思路被打乱了好几回，我一直没有找到哪怕一点点来创作一幅伟大作品的灵感！珍贵的灵感！唉，我需要集中精力！”

小胖墩学着达·芬奇的样子蹬起脚踏板。

“我，小胖墩，第一只飞翔的公鸡！我要成为鸡舍里的国王！”

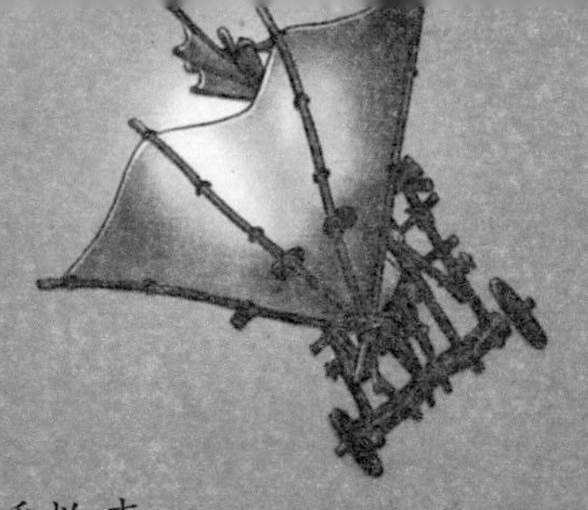

这时天空中传来一阵呼救声。

大家抬头一看，才惊奇地发现是小胖墩在驾驶飞机！

“妈妈咪呀！我的扑翼飞机！”

“救命啊！我再也不偷着玩飞机了！”

看着小胖墩在空中忽上忽下，忽而翻转忽而俯冲。

达·芬奇摸着胡子感叹：“这个小胖子真是个艺术家！超棒的特技飞行表演家！”

卡门知道小胖墩已经不可能平安降落，三步并作两步跳到树顶。

“我来帮你对付飞机！飞过来！”

惊慌失措的小胖墩越来越紧张，摆弄着操纵杆朝地面俯冲下来。

飞机靠近树梢的时候，卡门纵身一跃，抓住飞机爬了上去。

“别喊了，胖子！我来帮你掌握方向，你就负责踩踏板！”卡门镇静地指挥。

在卡门的操作下，飞机恢复了平稳。

“太棒了，娴熟的技巧，简直绝了！”达·芬奇仰头赞叹着。

卡门帮小胖墩将飞机降落在草坪上。

“您的发明真伟大，达·芬奇！飞起来太刺激了！小胖墩你觉得呢？”卡门兴奋地朝大家跑过来。

“谢谢你的夸奖，没想到我的扑翼飞机还能做出这么惊险的动作，这要感谢你，小胖鸡！”说完，达·芬奇朝小胖墩挤了挤眼。

卡梅利多拾起画布递给达·芬奇。

“画家先生，很对不起，我们耽误了您画画的时间。我来自我介绍一下，我叫卡梅利多，她是我妹妹卡门。”

“谢谢你，卡梅利多，但画布对我已经没用了，我的灵感消失了，我不知道该画什么。”

鸬鹚佩罗从外面回到鸡舍，左找右找都没看见自己的木桶。他把大嗓门、小刺头和痘痘妹叫来询问。

“甭想跟我耍滑头！你们到底把我的衣桶弄哪儿去了?!”

“这事真不赖我，是它自己滚走的。”大嗓门一副无辜的表情指着痘痘妹。

“也不赖我，不是我让贝里奥钻进去的。”痘痘妹指着小刺头说。

“天地良心，我什么也没干！”小刺头指着大嗓门说。

“到底是谁出的这个馊主意把贝里奥骗进去的？”鸬鹚佩罗根本不信他们的解释。

“把木桶和贝里奥给我找回来，三个小骗子！马上！否则的话，看我怎么收拾你们！”

达·芬奇神情沮丧地坐在草地上。卡梅利多和卡门也想不到该怎么帮助画家找到灵感。

“再过几天就是王后的加冕典礼，我到底是画幅风景呢，还是画幅人像？”

这时，卡梅利多跑到达·芬奇的耳边说了几句悄悄话。

“妈妈咪呀！你说得真对，卡梅利多！这正是我想要的！微笑，完美的微笑！千万别动，卡门。”

“太美了，卡门，你帮我创造了灵感！”

达·芬奇迅速地支起画架画了起来。

“千万不要动。保持这个姿势。太完美了。你真是位伟大的女性！”

“你到底对达·芬奇先生说了什么？”卡门疑惑地问哥哥。

“卡门！你独一无二的微笑，将会名垂青史！我敢保证！你创造了名画！”

卡梅利多和小胖墩如痴如醉地看着达·芬奇画画，转眼间，一幅栩栩如生的画像就出现了，他们这才明白原来画能有如此大的魔力。

“完成了！”

达·芬奇兴奋地把画展示给卡门看。

“哇！这真的是我吗？”卡门简直不敢相信。

“卡门，你帮我找到了灵感。为了感谢，你想要什么都可以，完美的女士！”

“我想快点飞回家！能把你的帐篷布借我用一下吗？我也有个发明灵感！”

大伙儿修复了佩罗的木桶。

达·芬奇驾驶着他的扑翼飞机，吊着木桶飞了起来……

“天哪！快看！”大嗓门他们三个刚好跑到小河边。

“外星鸡！把他们都掳走了！”

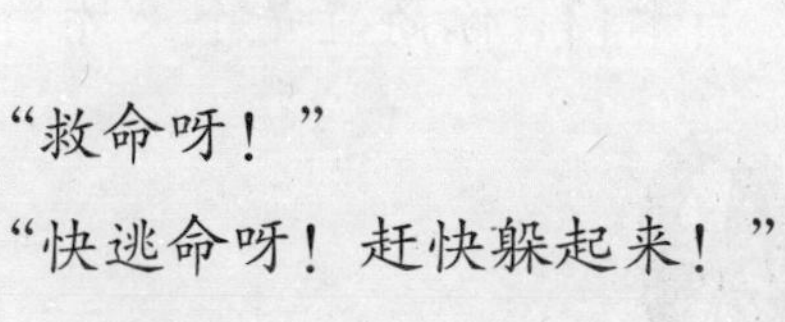

“救命呀！”

“快逃命呀！赶快躲起来！”

卡门请达·芬奇松开绑着木桶的绳子。随即，她打开帐篷布，减缓了木桶下降的速度。

“再见，孩子们！跳伞的发明真是妙极了，亲爱的卡门，你简直是个天才！”

“再见，达·芬奇，再见！”

从天空中往下看，农场只是小小的一点。

皮迪克和鸬鹚佩罗听了大嗓门的呼喊，从鸡舍跑出来。

木桶稳稳当当地降落在草垛上。

“天哪，是我的木桶！”鸬鹚佩罗生气地叫道，“快给我下来！”

“你拿回去吧，佩罗，我绵羊这辈子再也不要待在木桶里了。”经过几番折腾，贝里奥筋疲力尽地舒了口气。

“总算回家了，我小胖墩再也不要坐飞机了。”

列奥纳多·达·芬奇在16世纪发明了飞行器和降落伞，他还是伟大的画家、雕刻家、建筑师、音乐家、数学家、工程师、解剖学家、地质学家、植物学家和作家。达·芬奇无穷的好奇与创意使他成为文艺复兴时期的代表人物，与米开朗基罗和拉斐尔并称“文艺复兴艺术三杰”。《蒙娜丽莎》这幅画可以说是世界上最著名的油画作品，在1516年，法国国王弗朗索瓦一世邀请达·芬奇去昂布瓦斯城堡附近工作。达·芬奇把这幅画从意大利带到了法国，国王花了4000埃居买下了它，并把它保存在枫丹白露宫，直至路易十四时期。

但我必须告诉你们真相：卡门可从来没有给他这幅著名的油画做过模特，美丽的蒙娜丽莎另有其人！

列奥纳多·达·芬奇

（Leonardo Di Ser Piero Da Vinci，1452.4.15～1519.5.2）

THE INDIAN
SEA
INDIAN SEA
OCEAN

不一样的卡梅拉动漫绘本

据［法］克利斯提昂·约里波瓦同名绘本动画片改编

D’après la collection de livres de Ch. Heinrich et Ch. Jolibois © Pocket Jeunesse. D’après la série animée réalisée par JL Francois – bible littéraire M. Locatelli & P. Regnard © Blue Spirit Animation / Be Films
Titre de l’épisode « Le sourire de Carmen » écrit par M. Locatelli / P. Regnard
Les P’tites Poules © Blue Spirit Animation

Chinese simplified translation rights arranged with Chengdu ZhongRen Culture Communication Co.,Ltd,
本书中文版权通过成都中仁天地文化传播有限公司帮助获得

据［法］克利斯提昂·约里波瓦同名绘本动画片改编

图书在版编目（CIP）数据

我创造了名画 / (法) 约里波瓦文；
(法) 艾利施绘；郑迪蔚编译.
-- 南昌：二十一世纪出版社, 2013.4
（不一样的卡梅拉动漫绘本）
ISBN 978-7-5391-7653-6

Ⅰ. ①我… Ⅱ. ①约… ②艾… ③郑……
Ⅲ. ①动画－连环画－作品－法国－现代
Ⅳ. ①J238.7

中国版本图书馆CIP数据核字(2013)第048736号

版权合同登记号 14-2012-443
赣版权登字-04-2013-153

我创造了名画　郑迪蔚 / 编译

策　　划　张秋林　郑迪蔚
责任编辑　黄　震　陈静瑶
制　　作　敖　翔　黄　瑾
出版发行　二十一世纪出版社
　　　　　www.21cccc.com　cc21@163.net
出 版 人　张秋林
印　　刷　广州一丰印刷有限公司
版　　次　2013年4月第1版　2013年4月第1次印刷
开　　本　800mm×1250mm 1/32
印　　张　1.5
印　　数　1-60200册
书　　号　ISBN 978-7-5391-7653-6
定　　价　10.00元

本社地址：江西省南昌市子安路75号　330009（如发现印装质量问题，请寄本社图书发行公司调换 0791-86512056）